JUV
SPAN
743
MAR

#19

Mira y dibuja
La playa

DEC 0 3 2013

edebé

Índice

VAMOS A NECESITAR...

Lista de materiales

Agua
Lápiz y botones
Monedas
Pasteles y tizas (gises)
Pintura acrílica
Témperas y acuarelas
Pinceles
Colores de madera
y de cera
Borrador
Palitos
Esponjas
Cuaderno
Pasta y arroz
Purpurina o diamantina
Papel traslúcido
Rallador
Bastoncillos de algodón
Frutas y verduras
Cartoncillo negro
Laca para el cabello
o barniz
Sal
Papeles de colores
Periódicos y revistas
Tijeras
Cajas de cartón
Cepillo de dientes
Pajilla o popote
Bolígrafo
Cinta adhesiva
Hojas secas de árboles
Pegamento
Rotulador y marcadores

¿EMPEZAMOS?

¡Ayúdame a salir!

¡TARÁÁÁN!

¿Tienes tu cuaderno?

¡Aquí está! En mi Actividiario voy a practicar mis dibujos.

Kiwi, esto es lo que haremos:

Primero pensamos qué dibujaremos y luego lo relacionamos con objetos cotidianos.

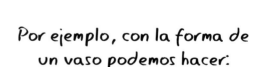

Por ejemplo, con la forma de un vaso podemos hacer:

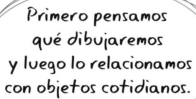

Un sombrero

El cuerpo de un bañista

Un pez

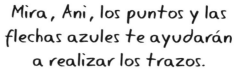

Mira, Ani, los puntos y las flechas azules te ayudarán a realizar los trazos.

Aquí empezamos.

Aquí terminamos.

Utilizaremos los materiales de distintas maneras y conoceremos muchas técnicas para pintar y decorar.

Sé creativo: por ejemplo, si necesitas trazar una línea recta utiliza lo que está a tu alrededor.

Un cartón

Un lápiz

El borde de un libro

Al dibujar trazaremos líneas que no es necesario conservar.

Cuando te diga "limpiamos el dibujo" es momento de borrar las líneas que sobran.

Mejora tu dibujo con un rotulador o bolígrafo.

Te haré sugerencias para darle color a tu dibujo.

Cuida tus materiales: limpia bien los pinceles antes de usar un color diferente o guardarlos. No los dejes en el agua.

¡Hey! No olvides proteger con periódicos el área donde trabajas.

Experimenta con tus materiales, si los conoces mejor, más obras podrás crear.

¡Manos a la obra!

OLAS

1. Utiliza monedas o una tapa redonda. Sigue su contorno para hacer la cresta de la ola.

2. Mueve la moneda hacia la derecha y termina con una curva suave.

Los artistas debemos ejercitar nuestro pulso. Practica todos los días.

3. Une medios círculos para dibujar la marea.

Combina diferentes tamaños y dibuja el mar.

Pinta la espuma de las olas con una esponja y pintura blanca. También puedes usar gis o una tiza.

PALMERAS

Las palmeras son altas y curvas.

1. Dos curvas.

2. Luego los cocos.

3. Dibuja las hojas con curvas.

4. Con letras M haz detalles en el tronco.

Pinta las hojas con un pincel de punta redonda.

Primero, apoya el pincel con suavidad...

...muévelo y presiona más fuerte para engrosar la hoja.

Sobre la pintura seca traza líneas con lápices de colores.

15

JUNCOS

1. Dos curvas juntas, como un tubito.

2. Arriba una salchicha con un pelito.

3. Las hojas son una M grande.

HIERBA

I. Traza letras M
con una punta más grande.

MMMMMMM

¿Crees que esto es fácil?

Prueba esto.

Deja caer una gota de pintura y forma
líneas con la punta del pincel.

¡Ejercita tu pulso con estas planas!

ALGAS

¡Ay! ¡Está helada!

Juguemos a que tienes frío y te tiembla la mano.

1. Traza pares de líneas temblorosas.

2. Dibuja las piedras.

3. Pinta con acuarelas y usa tu pulso tembloroso.

18

ESTRELLA DE MAR

Hacer una estrella de mar es fácil.

1. Traza cinco líneas.

2. Dibuja curvas sin tocar las primeras.

Píntala y usa arena o purpurina mientras esté húmeda.

Adórnala cuando la pintura esté seca.

¡Vaya, tiene de todo!

PECES

¡Mira! ¡Los coches tienen forma de pez!
¿O son los peces los que parecen coches?

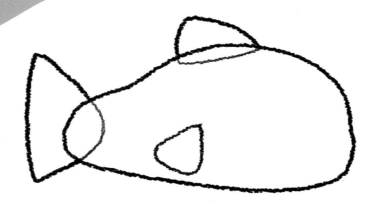

1. Calca la silueta
de un automóvil.

2. Dibuja las aletas
y la cola con triángulos.

3. Ponle una sonrisa.

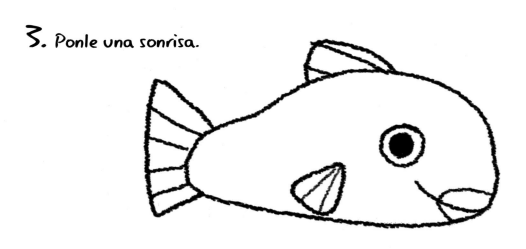

Hay peces de todos los tamaños, formas y colores.

Moja las yemas de tus dedos con pintura de distintos colores y pinta las escamas.

21

ANGUILA

¡Es como una serpiente submarina!

1. ¿Recuerdas cómo hacer algas? Dibuja una horizontal.

2. Añade un círculo.

3. Traza líneas onduladas de una punta a la otra.

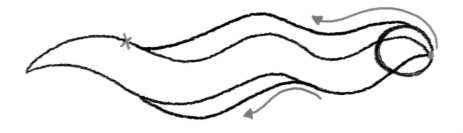

La línea de abajo es más corta.

4. Dibuja su rostro.

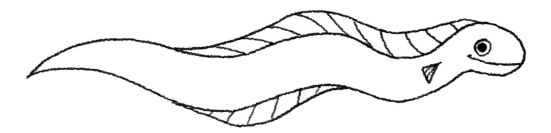

Coloca tu dibujo sobre un rallador y pasa un lápiz de cera. El resultado es diferente con cada lado.

Pinta manchas de colores en el cuerpo.

Yo también te quiero.

¡Cuida tu material!

TORTUGA

Con un tazón, cuatro vasos,
un pepino y una naranja
tenemos una tortuga.

1. Dibuja un tazón.

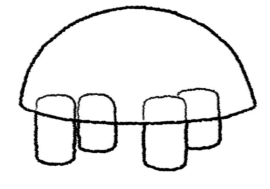

2. Agrega los vasos.

3. Dibuja el cuello.

4. La cabeza es un círculo.

No olvides la cola.

5. ¡A colorear!

Moja en pintura un trozo de pepino. Úsalo para estampar el caparazón.

Cuando la pintura esté seca, decora con lápices de colores.

Las conchas parecen trozos de pizza.

CONCHAS

1. Un triángulo con base curva.

2. Arriba un óvalo y líneas.

3. Dibuja curvas debajo.

4. Limpia el dibujo. Si haces las líneas curvas, se verá mejor.

CARACOLES

1. Un círculo pequeño.

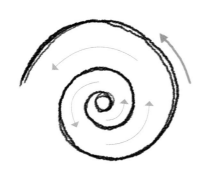

2. Una espiral
alrededor del círculo.

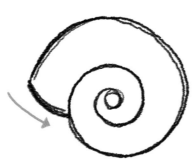

3. Cierra la espiral
con una pequeña curva.

Hay otro tipo de caracoles:

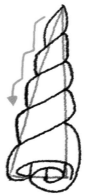

1. Un triángulo.

2. Líneas
y una espiral.

3. Pequeñas
curvas y limpia.

Pinta el caracol con acuarela.
Cuando seque delínealo con un lápiz de color.

MANTARRAYA

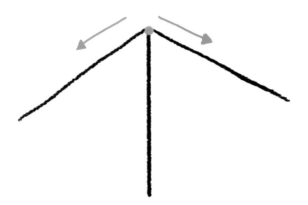

1. Una línea y después dos a los lados.

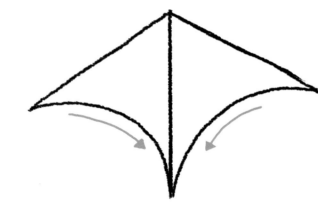

2. Dos curvas debajo.

3. La cabeza es un cuadrado con dos triángulos. Alarga la línea para hacer la cola.

¡Orejas de gato!

Parece una cometa.

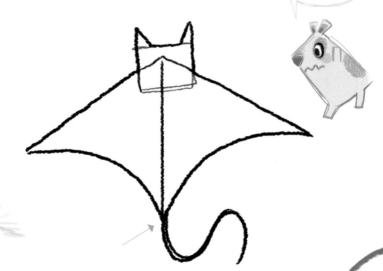

¡Mantarraya voladora!

5. Limpia el dibujo y ponle ojitos.

Pinta manchas en su lomo con un bastoncillo de algodón remojado en pintura blanca.

La boca y las agallas de la mantarraya están debajo.

Pinta puntitos pequeños con la punta de un pincel.

DELFÍN

Los delfines tienen forma de hojas de árbol o plumas.

1. Marca un punto y traza dos curvas. Parece una S.

2. Otra curva debajo.

3. Dibuja la aleta dorsal y la cola con un triángulo de lados curvos.

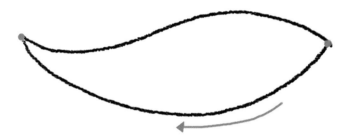

4. El hocico es un rectángulo con un lado redondo.

5. Agrega una línea para la barriga. Dibuja la cara.

Las acuarelas se mezclan muy bien cuando están aguadas.

Pinta un manchón de un color y, mientras está húmedo, pinta con otro color.

amarillo

azul

rojo

verde

morado

anaranjado

azul

rojo

amarillo

Los delfines tiene un tono oscuro en el lomo y uno claro en la barriga.

Limpia el pincel en agua antes de usar otro color.

BALLENAS

Usemos trozo de cartón o una revista
pequeña para trazar curvas fluidas.

1. Una curva, como S.

2. Otra curva debajo.

3. La cola son triángulos.
Dibuja la boca y un ojo pequeñito.

4. Dibuja la aleta
y rayas en la barriga.

ORCA

1. Una línea curva arriba y debajo una S.

2. Dibuja la cola, la aleta, la boca y los ojos. Píntala de negro con manchas blancas.

¡La ballena más grande del mundo es el cachalote!

Con gis o pastel pinta las burbujas sobre la pintura seca.

CACHALOTE

1. Un rectángulo.

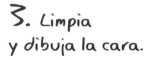

2. Un triángulo con una curva.

3. Limpia y dibuja la cara.

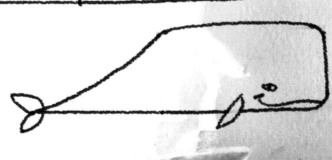

TIBURÓN

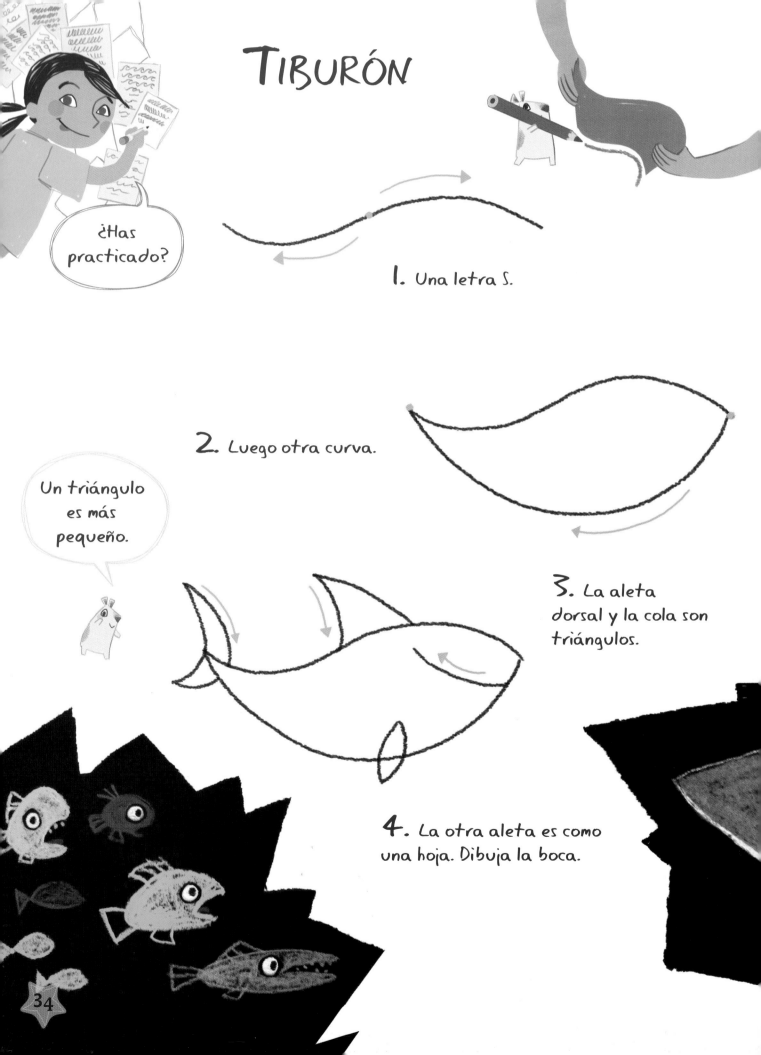

¿Has practicado?

1. Una letra S.

2. Luego otra curva.

Un triángulo es más pequeño.

3. La aleta dorsal y la cola son triángulos.

4. La otra aleta es como una hoja. Dibuja la boca.

34

5. Completa la boca con otra curva.
Los dientes son letras M. Dibuja la barriga
y los ojos, con esa extraña mirada...

Dibuja con gises
un tiburón sobre un
cartoncillo negro. Primero,
delínealo con gis blanco y
detalla con un lápiz.

Fija el color con
barniz o laca para
el cabello. Así evitarás
que desaparezca.

Pero
ojalá éste
se vaya pronto.

FOCA

¡Qué fácil!

1. Dibuja una curva, como letra S.

2. Otra curva.

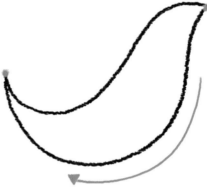

3. Dibuja el hocico, las aletas y la cola.

Dibuja focas en diferentes posiciones con curvas diferentes.

4. Limpia el dibujo y añade el rostro. Quizá una pelota...

Pinta la foca con acuarelas y ponle un poco de sal mientras esté húmeda. Retira los granos cuando seque y tendrá unas bonitas manchas.

¡Qué lindas manchitas!

¡Hey, Ani! ¡Poca sal! Es un dibujo, no una sopa.

37

PULPO

1. Dibuja un foco.

2. Agrega ocho algas.

Un foco con ocho brazos.

3. Limpia el dibujo y añade la cara y manchas.

Dibuja tentáculos en hojas de colores y recórtalos.

Con ayuda, corta una cebolla y retira el centro.

Coloca los tentáculos sobre periódico. Moja la cebolla en pintura y estampa las ventosas. Entrelaza los brazos y pégalos sobre cartoncillo.

CALAMAR

1. Un rectángulo.

2. Ocho brazos.

3. Un cuadrado.

4. Un rombo encima y dos tentáculos grandes.

5. Limpia y haz los detalles.

Pinta pulpos y calamares con mitades de verduras.

Moja en pintura, estampa y decora.

Pulpo champiñón

Cebollín de ocho brazos

Coliflor en su tinta

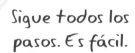

Sigue todos los pasos. Es fácil.

CANGREJO

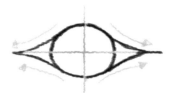

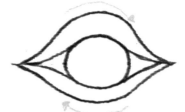

1. Una bolita un poco aplastada.

2. Cuatro curvas hacia los lados.

3. Dos curvas más sobre las otras.

4. Dos círculos arriba y cada uno con dos triángulos.

5. Dos cuadritos y dos rectángulos largos.

6. Forma las patas con dos triángulos. Redondea las figuras y limpia el dibujo.

Dobla una hoja y dibuja y la mitad de un caparazón.

Recorta y desdobla.

Recorta triángulos y tenazas.

LANGOSTA

1. Un rectángulo.

2. Luego un triángulo.

3. Curvas.

4. Dibuja las tenazas y los brazos. La cabeza son triángulos y la cola pequeños círculos.

5. Añade ojos, antenas y patitas.

Arma cangrejos de papel.

PELÍCANO

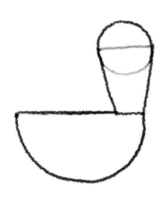

¿Qué animales puedes formar con objetos cotidianos?

1. Dibuja un vaso y una bola de helado.

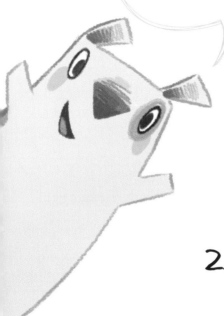

2. Debajo, un tazón.

3. Limpia y dibuja el ala; luego un rectángulo para la cola.

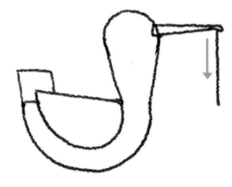

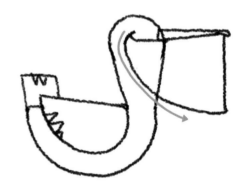

4. Ahora un triángulo muy delgado; después, una línea.

5. Termina el pico con una curva. Las plumas son letras M.

6. Dibuja los ojos y las patitas.

¿Qué lleva en su pico el pelícano?

Con un lápiz de cera amarillo dibuja peces en el pico. Luego píntalo con acuarelas. ¡Los peces aparecerán como por arte de magia!

Delinea el dibujo con un lápiz color negro.

GAVIOTA

1. Un vaso con helado.

2. Luego, un círculo.

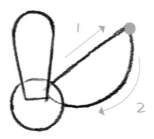

3. Dibuja medio círculo.

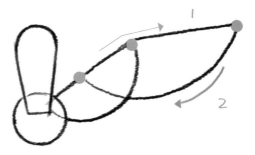

4. Traza otro medio círculo. Mira los puntos y las flechas.

5. Repite los pasos del otro lado: primero, medio círculo; luego, otro.

6. Dibuja plumas y las patitas. Limpia el dibujo.

Dibuja gaviotas en diferentes posiciones.

Mueve los medios círculos de las alas.

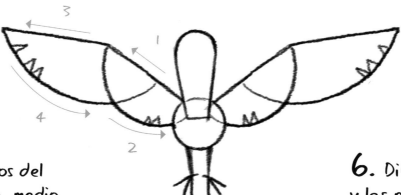

Dibuja una gaviota en un cartoncillo rígido y recórtala.

Remoja una esponja en pintura blanca y usa el molde para estampar gaviotas.

7. Ponle ojos, pico y plumas.

Pinta las manchas con una esponja distintas o habrá un batido de plumas.

Pinta el pico y los ojos con un pincel.

45

MOSQUITO

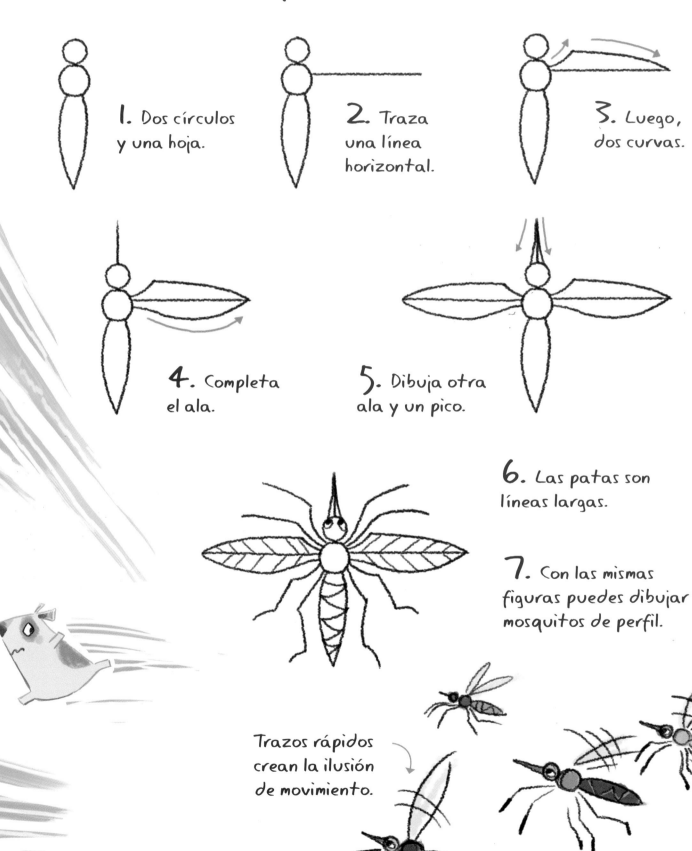

1. Dos círculos y una hoja.

2. Traza una línea horizontal.

3. Luego, dos curvas.

4. Completa el ala.

5. Dibuja otra ala y un pico.

6. Las patas son líneas largas.

7. Con las mismas figuras puedes dibujar mosquitos de perfil.

Trazos rápidos crean la ilusión de movimiento.

46

LAGARTIJA

1. Un par de curvas como S.

2. Una hojita.

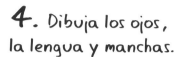

Mira, tiene bolitas en las puntas de los dedos.

3. Las patas son líneas gruesas.

4. Dibuja los ojos, la lengua y manchas.

Diviértete haciendo lagartijas de colores.

Marca la silueta. Píntala con trazos rápidos y lápices de colores.

Recorta la silueta y pégala sobre otro papel. Colorea las patitas y los ojos.

47

PIÑA

1. Un óvalo y una línea.

2. Hojas, como de palmera, ¿recuerdas?

3. Dibuja la textura...

...puedes hacer escamas, como en los peces...

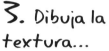

...o unas bonitas líneas cruzadas.

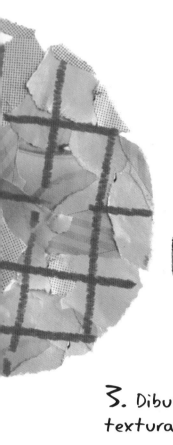

¡Hey! Dibujar un coco es superfácil.

COCO

Las sombras dependen de la fuente de luz.

Mejor aprendamos a hacer sombras.

Luz al frente:

Luz arriba:

Luz a un lado:

sombra muy pequeña.

sombra pequeña.

sombra extendida.

PLÁTANO

1. Una curva.   **2.** Dos curvas más.   **3.** Dos cuadritos.

4. Pinta manchitas.

5. Dibuja dos triángulos y redondea la punta.

SANDÍA

La sandía entera es un óvalo con líneas onduladas. Pero una rebanada...

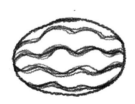

1. Dibuja un tazón.   **2.** Traza otra curva.   **3.** Agrega las semillas.

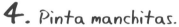

Rompe trocitos de papel de revistas o periódicos y pégalos para crear distintas texturas.

OBJETOS EN UN MUELLE

Vaya, nunca imaginé que aprendería a tejer.

RED

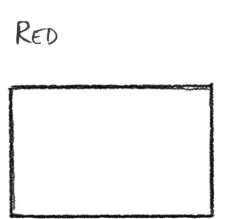

1. Rectángulo.

2. Dibuja líneas en diagonal para tejer la red y curvas en las orillas.

SOGA

1. Rectángulo y un óvalo.

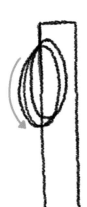

2. Luego, más óvalos.

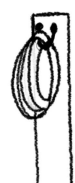

3. Dibuja un gancho.

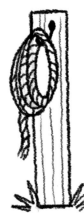

4. Agrega detalles y listo. Amarra lo que quieras.

ANCLA

1. Un rectángulo largo con una rosca.

2. Dibuja otro rectángulo y una curva.

3. Una curva más y tres triángulos.

BANDERA

1. Un palito.

2. Un rectángulo "ondeando".

3. Un círculo y una curva para simular que está amarrada.

Inventa un símbolo.

Respira profundo, sigue algo complicado...

SALVAVIDAS

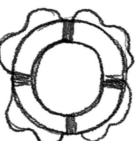

¡Qué fácil!

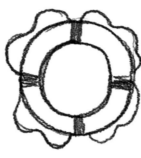

1. Dos círculos.

2. Agrega los detalles. ¡Uf! Difícil.

BOYA

1. Un círculo.

2. Ponle un gorrito.

3. Redondea y limpia.

Hay boyas de muchas formas.

Faro

1. Traza un cono sin punta.

2. Un rectángulo y un cuadrito.

3. Luego, un triángulo con una rayita.

4. Agrega ventanas y puerta.

Crea efectos de luz con gises de tonos claros. Pinta sobre la pintura seca y usa el dedo para difuminar.

FOGATA

1. Óvalos juntitos serán piedras.

2. Traza líneas desde el centro.

3. Haz circulitos entre las líneas.

4. Con líneas como S, dibuja el fuego.

TABLA DE SURF

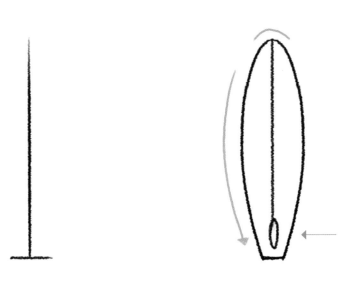

1. Una línea larga y otra pequeña.

2. Dibuja dos curvas y una hoja.

¡Decórala como prefieras!

Las tablas de surf tienen una pequeña aleta debajo para mantener el equilibrio sobre las olas.

PALAPA

1. Un cuadrado.

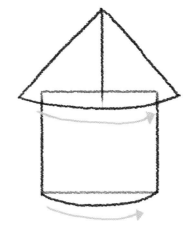

2. Un triángulo con la base curva. Redondea el cuadrado.

3. Dibuja el techo de palma con muchas rayas. Los demás detalles también son líneas.

Dibuja el techo con lápices de colores. Haz los trazos muy rápido.

CUBETA

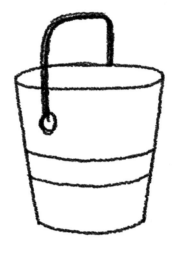

1. Un óvalo delgadito.

2. Líneas a los lados y una curva debajo.

3. Ponle un asa y decórala.

PALA

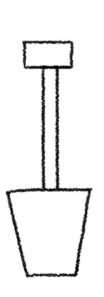

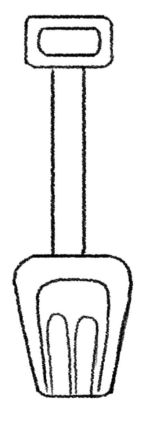

1. Dibuja una cubeta.

2. Luego, un rectángulo largo y flaco.

3. Otro rectángulo pequeño.

4. ¡Qué pala más linda! Seguro ganaría un concurso.

PELOTA

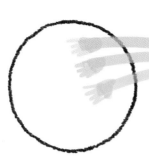

1. Traza un círculo con mucho cuidado.

¡No no no! ¿Una pelota? ¡Es muy fácil! Mejor hagamos castillos de arena.

2. Dibuja unas curvas perfectas.

CASTILLO DE ARENA

Utiliza un pincel de punta plana o cuadrada.

Define la forma del castillo, sus ventanas y puertas con una pincelada a la vez.

En los paisajes las figuras lejanas tienen un color más claro.

Si están cerca su color es más intenso.

HOTEL

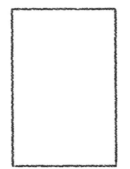

1. Los edificios son como cajas. Dibuja un rectángulo.

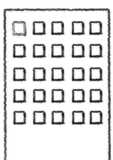

2. Las ventanas son cuadritos.

3. Dibuja el letrero, la puerta y más ventanas.

4. Incluye adornos, por ejemplo, palmeras.

Juega con rectángulos y cuadrados diferentes.

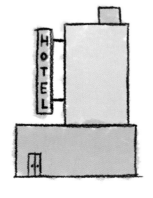

Vamos a construir una
zona hotelera.

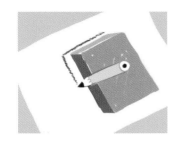

1. Traza sobre cartulina
la silueta de una caja.

2. Dibuja y
colorea un hotel.

3. Recórtalo y pégalo
sobre la caja. Repite los
pasos con cada lado.

A construir
para destruir,
¿cierto?

HOTEL

VELERO

Mi abuelo decía:
"Un mar en calma no hace buen marinero". Así que empecemos los dibujos difíciles.

1. Un rectángulo.

2. Traza una línea inclinada y redondea una esquina.

3. Dibuja el mástil y un rectángulo.

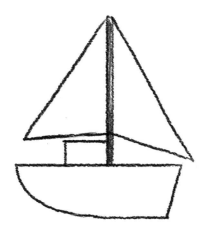

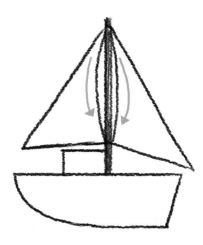

4. Las velas son dos triángulos.

5. Traza dos curvas para simular que están amarradas.

Mira, las figuras lejanas parecen más pequeñas.

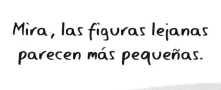

6. Decora y prepárate para navegar.

Recorta tiras y triángulos de papel y construye lindos veleros

BOTE

1. Traza una curva.

2. Dibuja una línea diagonal.

3. Une los extremos con otra curva.

4. Luego, una línea inclinada.

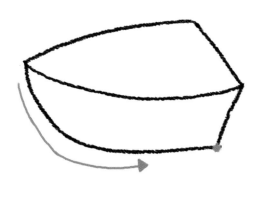

5. Dibuja una curva pronunciada.

6. Agrega las líneas del interior.

7. Dibuja detalles.

¡Pinta un bote de madera!
Dibuja la silueta de un bote
en un cartoncillo resistente
y recórtala.

Moja una esponja en tonos
diferentes de pintura.
Pásala sobre el molde varias
veces en la misma dirección.

BARCO

Hay dibujos que parecen difíciles. Calma, empieza con una figura sencilla.

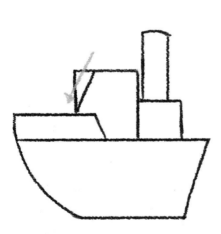

1. Un gran rectángulo.

2. Dibuja una línea inclinada y redondea una esquina.

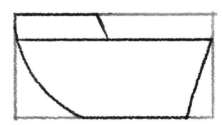

4. Incluye ventanas, ancla, bandera y olas.

3. Limpia el dibujo y agrega varias figuras.

Presiento que viene algo difícil.

Tú eres lista, sólo pon atención. ¡Vamos!

REFLEJOS

Dibujemos en el agua.

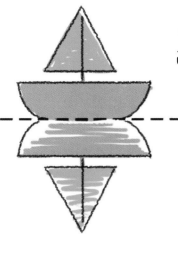

Un reflejo es la imagen al revés.

Línea del horizonte

El horizonte las separa.

Calcula la distancia de los elementos.

Línea del horizonte

Los colores son parecidos.

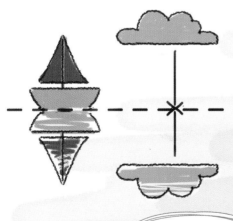

La imagen reflejada en el agua se desdibuja.

Pinta el reflejo con pinceladas sueltas y trazos temblorosos.

65

SUBMARINO

1. Dibuja un óvalo y divídelo por la mitad.

2. Añade un rectángulo y divídelo.

3. Luego, otro rectángulo.

4. Une con curvas y limpia el dibujo.

¡Hey, pulpo! ¡No podemos salir a jugar!

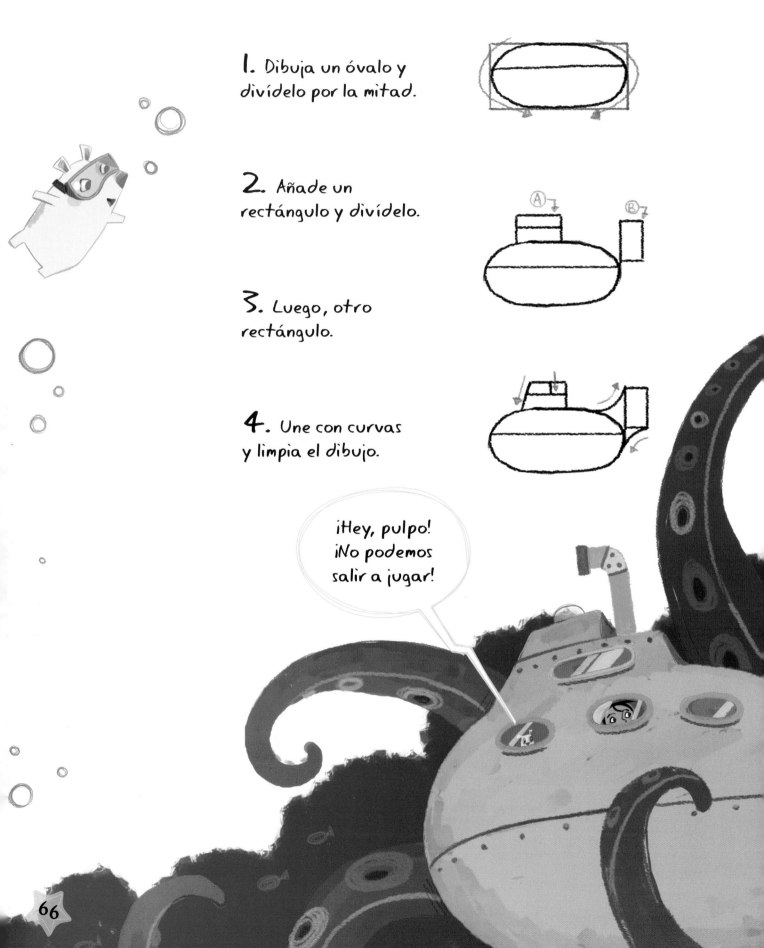

5. Dibuja el periscopio.

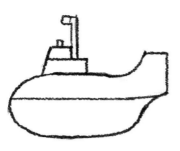

6. Coloca ventanas y la hélice.

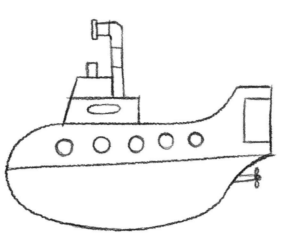

¡Intenta esto!
Remoja en pintura un cepillo de dientes viejo. Con tu dedo pulgar, sacude las cerdas y salpica el dibujo. Según la distancia y el ángulo puedes lograr efectos distintos.

Yo apoyé el cepillo en la hélice y salpiqué hacia el pulpo.

Usemos una herramienta.

COFRE

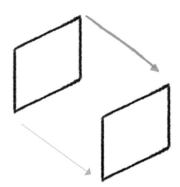

1. Dibuja un cuadrado de lados inclinados.

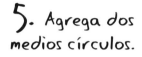

2. A la derecha y abajo, dibuja un cuadrado idéntico.

3. Une sus esquinas.

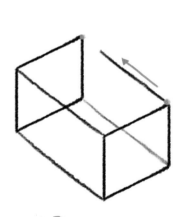

4. Traza dos líneas hacia arriba y únelas.

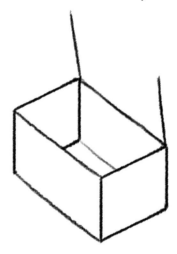

5. Agrega dos medios círculos.

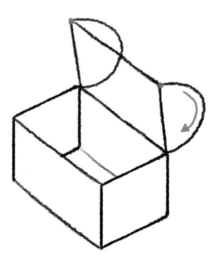

Corta dos rectángulos de cartón muy derechos.

Coloca un cartón junto a una línea.

68

6. Une los medios círculos.

7. Limpia el dibujo. Delinea las orillas y llénalo con tesoros.

Acomoda el otro como base.

Sostén la base y mueve el de arriba hasta donde quieras trazar una línea.

Ⓐ

Ⓑ

La cabeza y el torso definen la forma de un cuerpo.

Ajá, Kiwi. Tú eres un cuadrado.

CUERPOS

Si fuéramos simétricos seríamos como un cacahuate: con la cabeza y el cuerpo del mismo tamaño.

Usa la forma de una botella para dibujar cuerpos de personas.

Lo divertido es mezclar formas y tamaños.

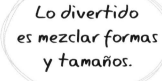

70

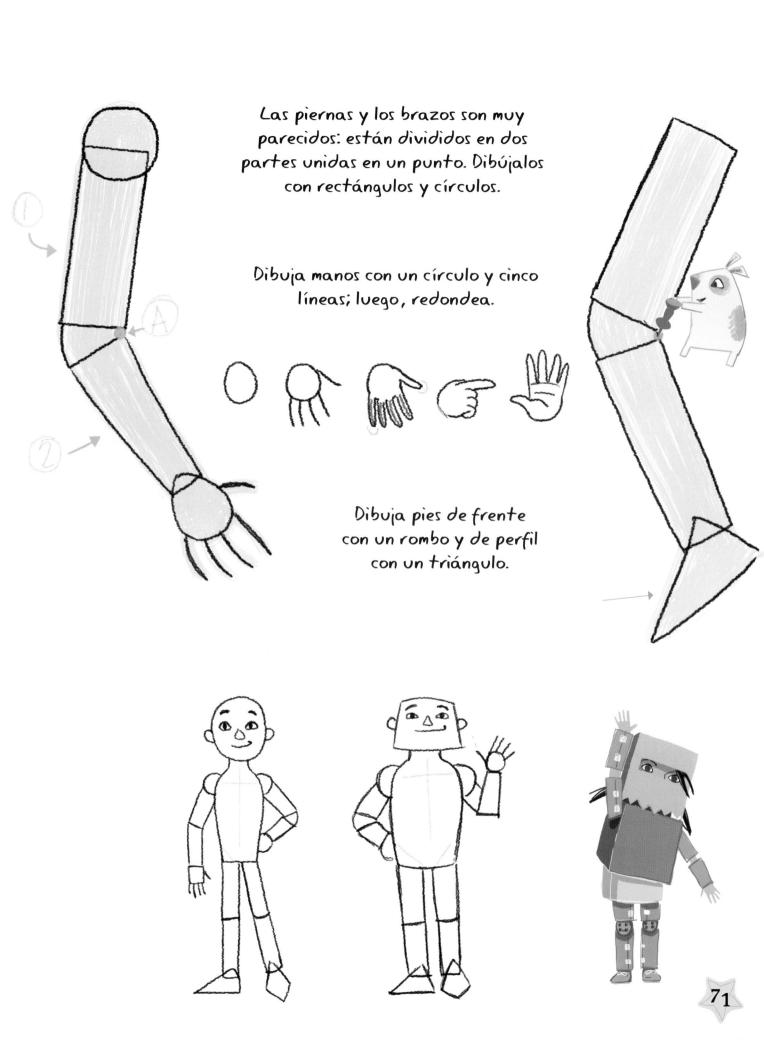

Las piernas y los brazos son muy parecidos: están divididos en dos partes unidas en un punto. Dibújalos con rectángulos y círculos.

Dibuja manos con un círculo y cinco líneas; luego, redondea.

Dibuja pies de frente con un rombo y de perfil con un triángulo.

Todo lo que hemos dibujado se parece a algo: figuras geométricas, objetos cotidianos, frutas…

ROSTROS

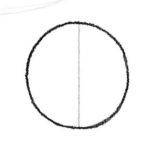

1. Un círculo con una línea en medio.

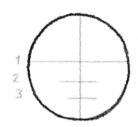

2. Marca tres rayas y dibuja en ellas los ojos, la nariz y la boca. Las orejas van entre la primera y la tercera línea.

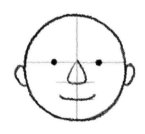

3. Dibuja el cabello con tres medios círculos: uno en la frente y dos a los lados.

4. Inventa distintos rostros cambiando el lugar, el tamaño y la forma de los elementos.

EXPRESIONES

Las cejas y la boca definen la expresión de un rostro.

Traza y recorta ojos, narices, bocas, cejas y bigotes. Combínalos sobre figuras geométricas.

Inventa caras con formas de frutas.

Los niños son diferentes a los adultos, pero se dibujan igual.

NIÑOS

1. Elige figuras para el cuerpo y la cabeza.

2. Dibuja los brazos y las piernas.

1. Son más pequeños que los adultos porque no han crecido.

2. No tienen músculos ni curvas, ¡parecen rectángulos!

3. Son más cabezones.

4. Son gritones.

5. Son...

Mmm...

También miran feo.

Ten en cuenta las características y dibuja muchos personajes.

Utiliza objetos o figuras para las cabezas.
Agrega el cabello y las facciones.

Las facciones de los niños parecen
más grandes. Mira cuántas
diferentes puedes dibujar.

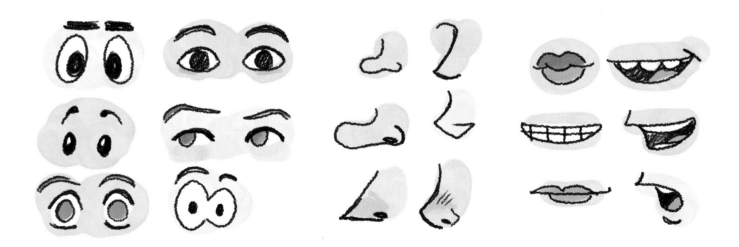

Usa tu imaginación al crear.

Equipo de Buceo

Tanque

1. Un rectángulo.

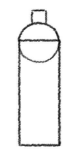

2. Un círculo y un cuadrito.

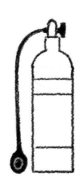

3. Limpia y detalla.

Visor

1. Un rostro.

2. Una curva gruesa sobre los ojos.

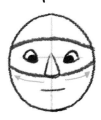

3. Otra bajo la nariz.

4. Une las curvas. Un triángulo sobre la nariz.

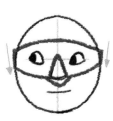

5. Detalla. ¡Está listo!

Aletas

1. Un círculo.

2. Dibuja un triángulo y dos pequeñas curvas debajo.

3. Une las figuras.

4. Limpia y acaba.

Haz los reflejos con
manchas blancas.

Para hacer burbujas
moja en pintura la
punta de un popote
o pajilla y presiónala
sobre el papel.

Pinta burbujas
rellenas o sólo
su contorno.

Pinta reflejos
blancos en el
tanque.

Buzo

Ya tenemos equipo de buceo. ¿Quién lo usará?

1. Dibuja una botella y un círculo.

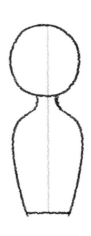

2. Ahora los brazos y las piernas. Elige si son largos, cortos, delgados, etcétera.

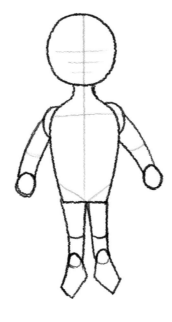

3. Dibuja el rostro y el traje.

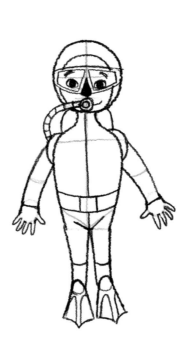

4. Añade el equipo.

5. ¡Colorea!

Puedes dibujar personajes en movimiento
si tuerces las figuras que utilizas.

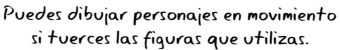

Dibuja buzos que nadan.
Coloréalos y delínealos
con un bolígrafo.

Los trazos largos, como
las franjas del fondo, crean
la ilusión de movimiento.

79

Estos son algunos objetos que utiliza un marinero.

COSAS MARINERAS

CATALEJO

1. Un rectángulo.

2. Dibuja otro rectángulo pequeño.

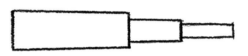

3. Luego, otro más pequeño aún.

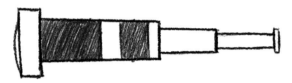

4. Dibuja los detalles. ¿O prefieres más rectángulos?

ARPÓN

1. Un rectángulo delgado y largo.

2. Otro más delgado.

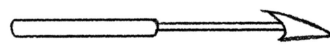

3. Ahora la punta con un triángulo filoso.

4. Y perfecciona.

Sombreros y gorras

   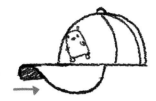

1. Medio círculo.

2. Luego una línea.

3. Una curva grande y una pequeña.

4. Decórala.

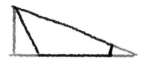  

1. Un triángulo, pero corta dos extremos.

2. Redondea la punta. Agrega dos líneas.

3. Medio círculo, pero corta el extremo.

4. Detalla.

  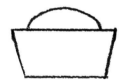 

1. Un rectángulo.

2. Recorta sus lados.

3. Medio círculo.

4. Adórnala.

Intenta dibujar otro tipo de sombreros.

A babor!

¡A estribor!

¡Allá y acá!

MARINERO

¡Todos a bordo!

Dibujemos elementos que conocemos.

1. Una botella y la cabeza.

2. Medio círculo arriba y una línea para la gorra.

3. Dibuja los brazos y las piernas.

4. Añade el rostro. Coloréalo

Usemos una nueva herramienta para
pintar sólo algunas partes
de la obra: mascarillas.

Cubre tu dibujo
con cinta
adhesiva.

Pinta sobre la mascarilla con
una esponja o una brocha.
Cuando esté seco, retira
la cinta con mucho cuidado.

Delinea los detalles
con un pincel fino.

Los pasos para dibujar una mujer son un poco diferentes. Veamos...

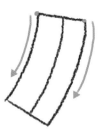

1. Dibuja un rectángulo torcido.

2. Traza unas líneas cruzadas.

3. Haz dos curvas en los lados y dibuja la cabeza.

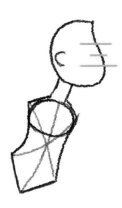

4. Limpia el dibujo.

5. Luego, un óvalo en el pecho.

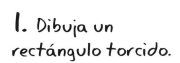

Realiza este experimento.
Moja un pincel de cerdas duras
en un poco de acuarela azul.
Pásalo por una barra de jabón.
Pinta las olas.
¡Las pinceladas se notarán
mucho más!

6. Añade los brazos y las piernas.

¡Vamos, sube a la tabla!

¡Hey! Puedes mezclar las técnicas que aprendimos para hacer toda una escena.

¿Recuerdas la lección de la gaviota? Pinta los peces con un molde.

Usa una esponja para pintar la espuma.

Con un pastel o gis de color claro traza las líneas en el agua.

FORTACHÓN

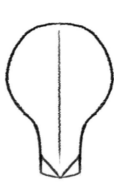

Vaya, nunca falta alguien así en la playa.

Puedo ver que hay una R escondida por ahí.

1. Este hombre fuerte tiene cuerpo de foco.

2. La cabeza es medio círculo y el mentón un triángulo.

3. Dibuja los brazos con curvas.

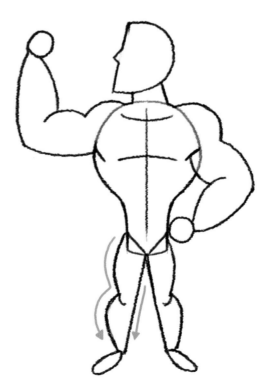

4. Las piernas y los pies.

5. Agrega el peinado.

6. Limpia y dibuja el rostro y los músculos.

¡Cuántos peinados! Parece un concurso.

No necesitas dibujar pelo por pelo, puedes pintar todo con un manchón, con líneas rápidas o varias pinceladas.

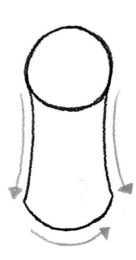

LENTES

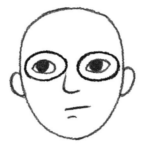

Ya casi tenemos todo para ir a la playa.

1. Dibuja dos óvalos alrededor de los ojos.

2. Únelos con una curva y una línea.

3. Colorea los cristales con un lápiz o acuarela oscura. Prueba con distintos diseños. ¡De la moda lo que te acomoda!

SANDALIAS

Puedes dibujar unas cómodas chanclas con un círculo y tres líneas curvas.

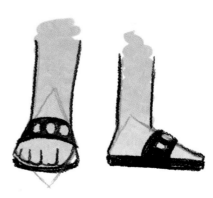

SOMBRILLA

1. Un triángulo y una línea.

2. Luego, varias líneas.

3. Agrega pequeños rectángulos.

4. Dale color.

¿Alguna vez haz intentado hacer un dibujo sin separar el lápiz del papel?

Mira, aquí empecé...

...y acá terminé.

89

TRAJES DE BAÑO

¡Vamos a diseñar trajes de baño!

Diviértete cambiando el peinado.

Hay bañadores de diferentes estilos y de muchísimos colores. Dibuja un personaje y vístelo. ¡Sólo necesitas imaginar!

Puedes utilizar pintura.

Mira, un traje con recortes de revista.

Recorta calzoncillos de cartoncillos.

Una bella prenda elaborada con periódico.

Una falda de hojas secas.

91

TURISTA

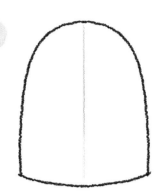

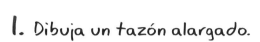

1. Dibuja un tazón alargado.

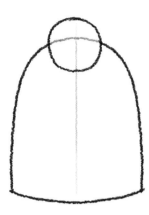

2. Luego, un círculo.

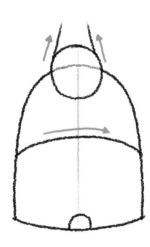

3. Arriba, dos líneas. A la mitad una curva y abajo medio círculo.

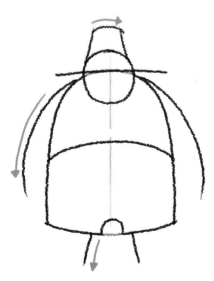

4. Dibuja el sombrero, los brazos y las piernas.

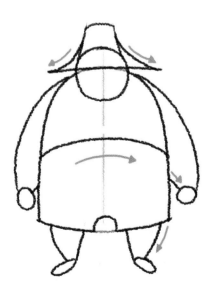

5. Completa los brazos, piernas, manos y los pies.

6. Limpia el dibujo y viste al turista.

¡Pintemos con perspectiva!

Mira, si una figura está cerca su contorno es más grueso y tiene más detalles.

Si una figura está alejada su contorno es más fino y tiene menos detalles.

Delinea las figuras con rotulador.

EL MURAL

¡Llegó el momento de crear una obra de arte!

Consigue un pliego grande de cartulina o papel.

También puede ser un cartoncillo pequeño, como el de Kiwi.

Yo lo veo grande.

Ten en cuenta que no podrás mojar mucho un papel delgado, por ejemplo, con acuarelas, pero un cartoncillo sí.

 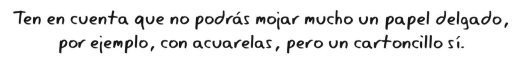  

Algunos materiales no se mezclan, por ejemplo, la acuarela y los lápices de cera. Sin embargo, haz experimentos.

Si tu hoja es grande puedes ocuparla toda
y no sólo un pedacito. Mide bien los espacios.

¡Ah! ¡Puedes contar una historia con tu dibujo!

Antes de empezar haz un boceto. Un boceto es un dibujo pequeño
que se hace para saber cómo será la obra.
Cuando tengas todo planeado comienza a pintar.

¡Venga! ¡Tú puedes!
¡Ya queremos ver tu obra de arte!
Tómale una foto y envíala
por correo electrónico a:
murales@miraydibuja.com

95

Texto e ilustraciones: Teresa Martínez

Dirección editorial: Daniel Corona
Dirección pedagógica: Esther Medina
Edición: Jardiel Moguel
Diseño de la colección: Adrián Hernández

Agradecemos a Óscar Carreño su extraordinaria aportación creativa.

Proyecto de creatividad edebé
Colección Mira y dibuja

© edebé Ediciones Internacionales S.A. de C.V.
Ignacio Mariscal, 8, Colonia Tabacalera, 06030, México, D.F.
www.edebe.com.mx

Primera edición: 2011
ISBN: 978-607-7689-94-2
ES PROPIEDAD DE GRUPO EDEBÉ

No está permitida la reproducción total o parcial de este libro, ni su tratamiento informático, ni la
transmisión de ninguna forma o por cualquier medio, ya sea electrónico, mecánico, por fotocopia, por
registro u otros métodos sin el permiso previo y por escrito del editor